GIGANTOSAURUS®

Larousse Jeunesse

GIGANT'OMBRE

Un rugissement vient de se faire entendre dans la vallée. Pas de doute, il s'agit de Giganto ! Observe bien les images et entoure l'ombre qui correspond au modèle.

MODÈLE

VIE SOUS-MARINE

Cet étrange poisson aime se cacher tout au fond du lagon. À cette profondeur, il fait si sombre qu'il lui arrive de se perdre. Aide-le à retrouver le bon chemin pour remonter à la surface.

QUIZ

CONNAIS-TU BIEN TINY ?

Tiny est une petite dinosaure vraiment très attachante. Mais la connais-tu aussi bien que tu le penses ? Réponds aux questions pour le découvrir.

À quelle espèce de dinosaures Tiny appartient-elle ?

1 - Les tricératops
2 - Les ankylosaures
3 - Les stégosaures

Réponse : 1.

Quelle est l'activité préférée de Tiny ?

1 - Chanter
2 - Bricoler
3 - Dessiner

Réponse : 3.

Les tricératops aiment vivre...

1 - Tout seuls
2 - En couple
3 - En troupeau

Réponse : 3.

Comment s'appelle le frère de Tiny ?

1 - Trey
2 - Marcus
3 - Clyde

Réponse : 1.

RÉSULTATS

Combien de cornes les tricératops possèdent-ils ?

1 - Une
2 - Deux
3 - Trois

Réponse : 3.

Tiny est la reine des...

1 - Gâteaux
2 - Devinettes
3 - Cabrioles

Réponse : 2.

Que mangent les tricératops ?

1 - De l'herbe
2 - Des œufs de dinosaure
3 - De la viande

Réponse : 1.

Vrai ou faux ? Tiny est une vraie froussarde.

Réponse : faux.

Quelle taille peut atteindre un tricératops adulte ?

1 - 3 m de long
2 - 6 m de long
3 - 9 m de long

Réponse : 3.

TOUS DIFFÉRENTS

Mazu connaît tous les dinosaures du Crétacé par cœur.
Elle est formelle : 6 erreurs se sont glissées entre
ces 2 images d'Ignatius. Sauras-tu les retrouver ?

EN ROUTE !

Tiny, Bill, Rocky et Mazu ont chacun un fabuleux véhicule. C'est tellement plus pratique pour explorer la vallée et se sortir de situations délicates ! Relie chaque dinosaure au véhicule qui lui appartient.

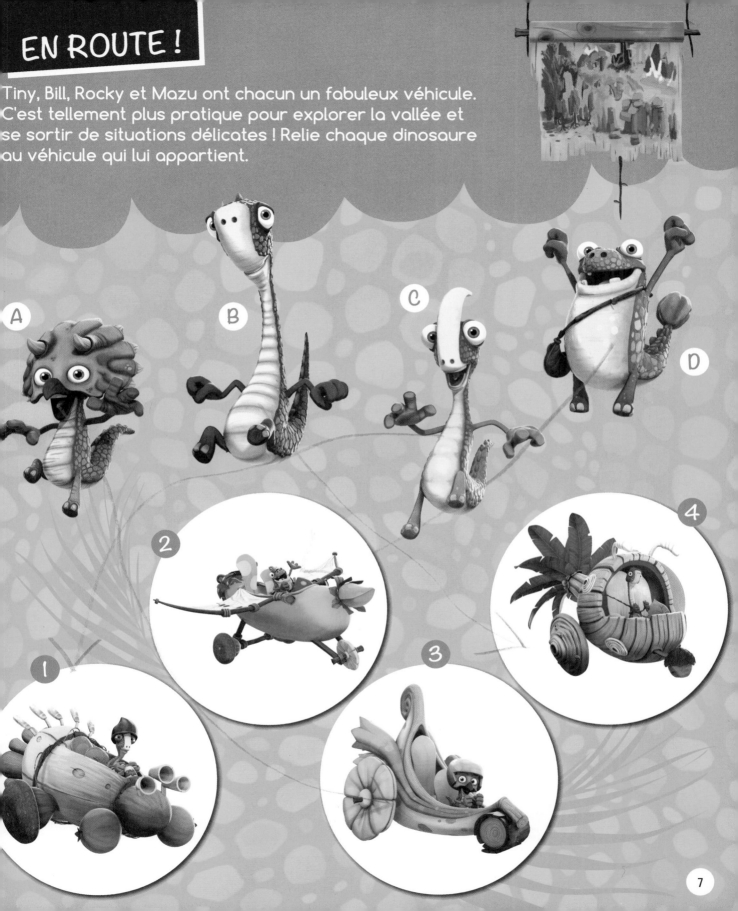

A

B

C

D

1

2

3

4

LE MEILLEUR GRIMPEUR

Ce matin, Rocky s'est lancé un incroyable défi : escalader cette immense falaise ! Mais avant de commencer l'ascension, il doit bien observer la paroi. Regarde les détails et entoure le seul qui appartient à l'image.

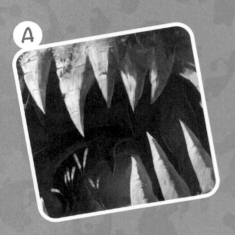
A

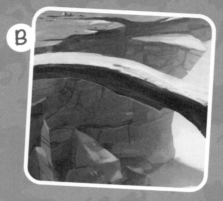
B

C

D

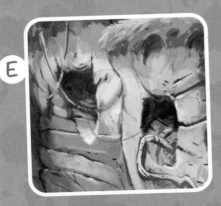
E

LE GRAND FRISSON !

Bill est terrorisé. Il a entendu un étrange bruit et refuse de sortir de sa cachette. Lis bien les indices et mène l'enquête. Réussiras-tu à découvrir qui lui a joué un vilain tour ?

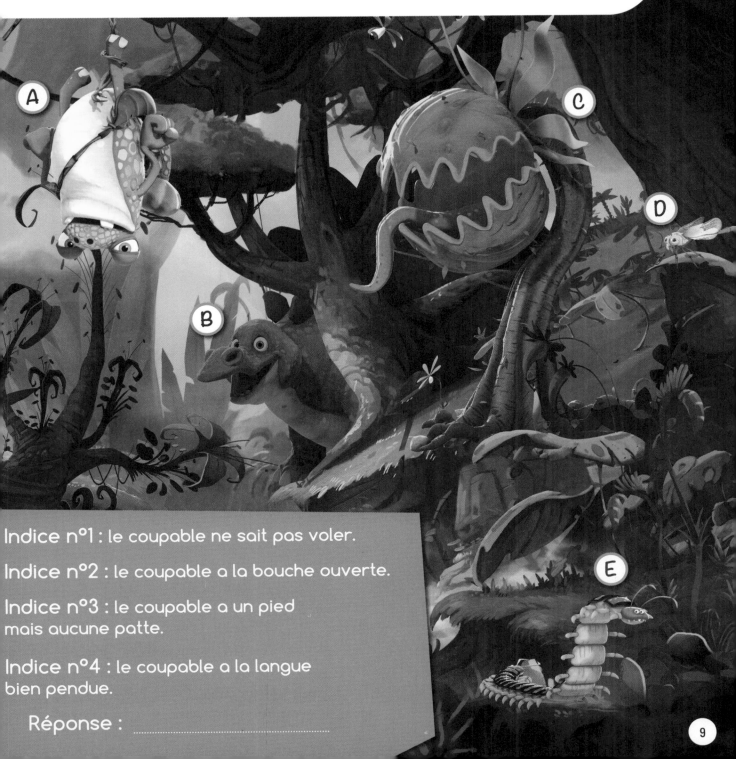

Indice n°1 : le coupable ne sait pas voler.

Indice n°2 : le coupable a la bouche ouverte.

Indice n°3 : le coupable a un pied mais aucune patte.

Indice n°4 : le coupable a la langue bien pendue.

Réponse : ....

PREMIERS SUDOKUS

Voici un défi à la hauteur de Rocky : compléter ces deux grilles en veillant à ce que les symboles n'apparaissent qu'une seule fois sur chaque ligne et dans chaque colonne. Mais pourra-t-il y arriver sans ton aide ? Rien n'est moins sûr...

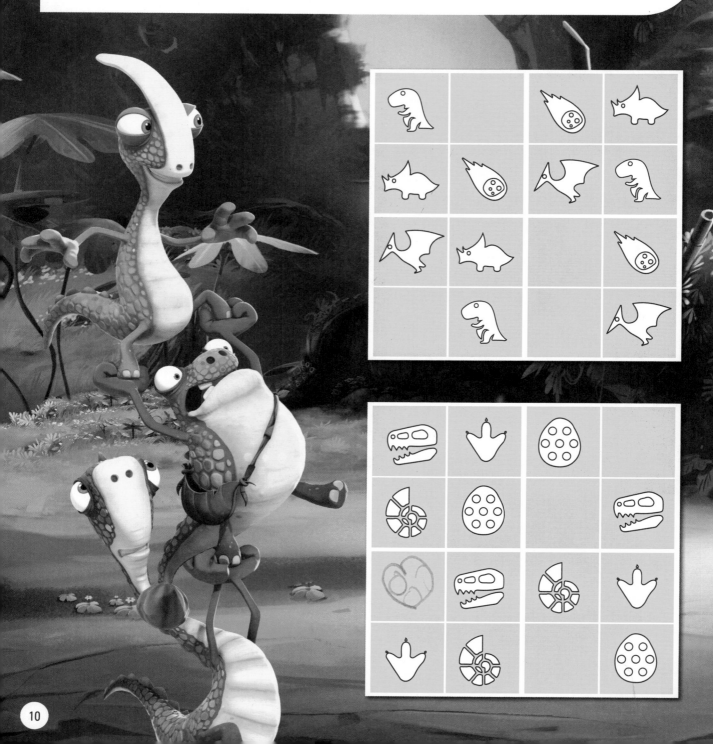

ATTENTION AU GIGANTO !

Tiny, Mazu, Rocky et Bill jouent les funambules. Attention !
Giganto est juste en dessous. Si les amis perdent l'équilibre,
ils serviront de déjeuner à leur dino préféré. Replace les pièces
aux bons endroits pour compléter le puzzle.

11

DEVINETTE

Que raconte chaque soir une maman à son petit dinosaure avant de le mettre au lit ?

Réponse : une préhistoire.

SUDOKU

Complète ce sudoku. Attention, il est réservé aux plus grands carnivores !

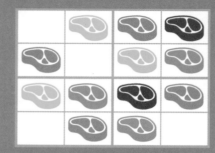

Le tyrannosaure est un carnivore redoutable. Savais-tu que ses dents pouvaient mesurer jusqu'à 30 cm de haut ?

FINIS LE DESSIN

Giganto veut reproduire un œuf de tyrannosaure dans son cahier. Aide-le en suivant la grille.

LES JEUX DE GIGANTO

MINI-MOTS

Observe bien les mots ci-dessous et place-les logiquement dans la grille.

CARNIVORE

DENT

PRÉHISTOIRE

LE TYRANNOSAURE

POIDS : jusqu'à 7 t

TAILLE : 12 m de long et 5 m de haut

SIGNE DISTINCTIF : des dents tranchantes

DEVINETTE

Qu'est-ce qui a une tête énorme, des dents comme des couteaux de cuisine et 8 roues ?

Réponse : un tyrannosaure avec des patins à roulettes !

DRÔLE DE TROUPEAU !

Trey a encore joué un tour à sa sœur. Il s'est caché au beau milieu du troupeau de tricératops. Regarde bien les images et aide Tiny à le repérer. Un indice ? C'est le seul qui est différent des autres !

TEST

QUEL DINO ES-TU ?

Si tu avais vécu au Crétacé, quel dinosaure aurais-tu été ? Pour le découvrir, réponds à ces questions.

À l'école, tu préfères :

- Les cours de mathématiques
- Les cours de dessin
- La récréation
- Tout à la fois

Tes amis te trouvent :

- Super drôle
- Super casse-cou
- Super froussard
- Super ingénieux

Si tu pouvais avoir un super pouvoir, lequel choisirais-tu ?

- Lire dans les pensées
- Courir à la vitesse de la lumière
- Voir à travers les murs
- Donner vie aux objets

Quel est ton plat préféré ?

- Une salade composée
- Des boulettes à la sauce tomate
- Une pizza trois fromages
- Des pâtes au beurre

Tu as plus de 🦖 :

Tu es curieux et tu veux toujours tout savoir sur le monde. Avec toi, aucune question ne peut rester sans réponse. Tu parcours les livres sans te lasser pour trouver des explications. Pas de doute, tu serais Mazu !

Tu as plus de 🦖 :

Tu es drôle et tes amis savent qu'ils peuvent compter sur toi pour retrouver le sourire. Pour toi, rien n'est plus important que de prendre la vie du bon côté. Pas de doute, tu serais Tiny !

Tu as plus de 🦖 :

Tu es un peu froussard ! Tu sursautes au moindre bruit et tu détestes te retrouver dans le noir. Mais parfois, tu surmontes tes peurs pour venir en aide à tes amis. Pas de doute, tu serais Bill !

Tu as plus de 🦖 :

Tu es un vrai casse-cou ! Pour toi, mieux vaut agir avant de réfléchir. Cela te met parfois dans de drôles de situations, mais tu sais que tu peux compter sur tes amis pour te tirer de ces mauvais pas. Pas de doute, tu serais Rocky !

Quel est ton animal préféré ?

- 🦖 Le rhinocéros
- 🦖 La girafe
- 🦖 Le tatou
- 🦖 Le crocodile

Quelle musique aimes-tu écouter ?

- 🦖 Du classique, c'est rassurant
- 🦖 Du rock, il faut que ça bouge
- 🦖 De l'électronique, tu adores ces drôles de bruits
- 🦖 De la pop, ça donne envie de danser

Quel est ton pire cauchemar ?

- 🦖 Casser ton jouet préféré
- 🦖 Te retrouver seul dans le noir
- 🦖 Ne plus avoir d'amis
- 🦖 Ne pas finir sur le podium

BIEN CACHÉ !

Hégan a une vue perçante. C'est pratique pour voir ses proies du ciel. Observe bien la grille et essaie de retrouver les mots ci-dessous. Attention, les mots peuvent se lire à la verticale et à l'horizontale.

DINOSAURE

JURASSIQUE

GRIFFE

VOLCAN

FOSSILE

SQUELETTE

REPTILE

NATURE

Retrouve aussi les noms de tes héros préférés :

ROCKY

BILL

MAZU

TINY

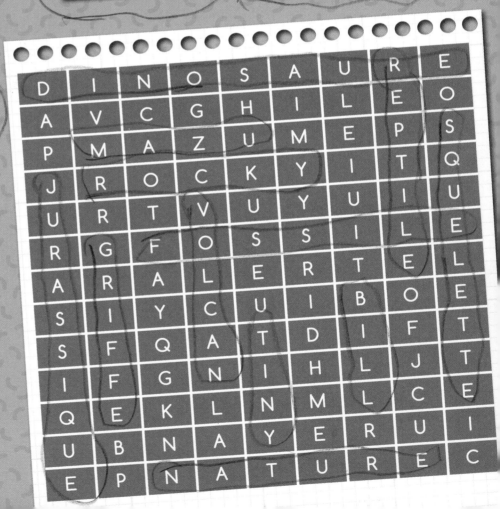

D	I	N	O	S	A	U	R	E
A	V	C	G	H	I	L	E	O
P	M	A	Z	U	M	E	P	S
J	R	O	C	K	Y	I	T	Q
U	R	T	V	U	Y	U	I	U
R	G	F	O	S	S	I	L	E
A	R	A	L	E	R	T	E	L
S	I	Y	C	U	I	B	O	E
S	F	Q	A	T	D	I	F	T
I	F	G	N	I	H	L	J	T
Q	E	K	L	N	M	L	C	E
U	B	N	A	Y	E	R	U	I
E	P	N	A	T	U	R	E	C

PAS UN BRUIT !

Attention, Giganto s'est endormi ! Au moindre bruit, il risque de se réveiller. Observe les ronflements du dinosaure et complète-les logiquement.

MESSAGE CODÉ

Rocky veut être un dino hors du commun. Il lui faut donc un langage adapté, un langage que seuls les autres superdinos peuvent comprendre. Aide-toi du code pour découvrir le message de Rocky.

J E   S U I S

U N   S U P E R

D I N O   !

CODE

D	E	I	J	N
O	P	R	S	U

LE COMPTE EST BON !

Bill est terrorisé ! Il croit voir des Giganto partout où il passe. Observe la page et compte les apparitions qu'il a eues.

Réponse :

21

QUIZ

CONNAIS-TU BIEN BILL ?

Bill est un petit dinosaure un peu froussard. Mais le connais-tu vraiment aussi bien que tu le penses ? Réponds aux questions pour le découvrir.

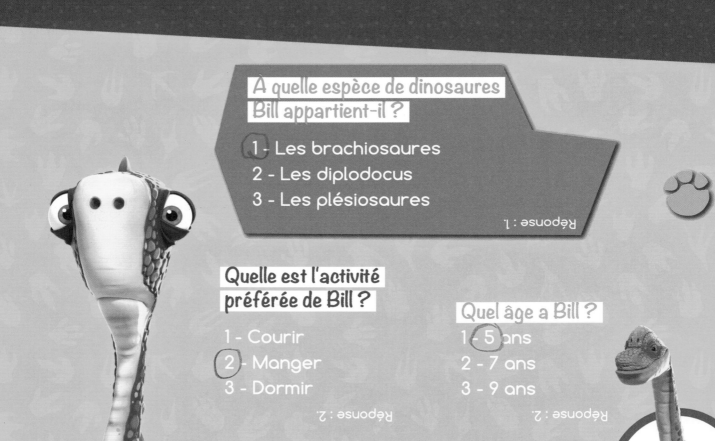

À quelle espèce de dinosaures Bill appartient-il ?

1 - Les brachiosaures
2 - Les diplodocus
3 - Les plésiosaures

Réponse : 1.

Quelle est l'activité préférée de Bill ?

1 - Courir
2 - Manger
3 - Dormir

Réponse : 2.

Quel âge a Bill ?

1 - 5 ans
2 - 7 ans
3 - 9 ans

Réponse : 2.

Comment s'appelle l'amie brachiosaure de Bill ?

1 - Kiara
2 - Ayati
3 - Eulali

Réponse : 2.

RÉSULTATS

Les brachiosaures mesurent...

1 - Jusqu'à 16 m de long
2 - Jusqu'à 26 m de long
3 - Jusqu'à 36 m de long

Réponse : 2.

Bill est le roi...

1 - Du cache-cache
2 - Du bricolage
3 - De la course à pied

Réponse : 1.

Que mangent les brachiosaures ?

1 - De l'herbe
2 - Des œufs de dinosaure
3 - De la viande

Réponse : 1.

Vrai ou faux ?
Les brachiosaures se défendent avec leur cou.

Réponse : faux, ils se défendent avec leur queue.

Quelle taille peut atteindre le cou d'un brachiosaure ?

1 - 3 m de long
2 - 6 m de long
3 - 9 m de long

Réponse : 2.

LE BON PRÉNOM !

Sais-tu écrire les prénoms de tes héros préférés ? Tiny, Bill, Rocky et Mazu proposent de t'apprendre à le faire. Entraîne-toi en repassant sur les lettres et en suivant les pointillés !

BILL

TINY

ROCKY

MAZU

OÙ EST GIGANTO ?

Marshall est certain que Giganto se cache quelque part ! Observe bien les images et trouve la seule qui n'apparaît qu'une fois. C'est là que Marshall trouvera l'incroyable dinosaure !

DINO MYSTÈRE !

Rocky est un parasaurolophe et il espère bien que l'histoire se souviendra de son espèce. Relie les points de 1 à 45 pour dessiner l'un des membres de son troupeau.

CHERCHE ET TROUVE

Mazu a fait l'inventaire de la vallée. Elle connaît maintenant le nombre de dinosaures, de fleurs et d'insectes. Il ne lui reste plus qu'à faire le recensement de cette zone. Aide-la en comptant tout ce que tu trouves dans la page.

Il y a .... dinosaures.

Il y a .... os.

Il y a .... scorpions.

Il y a .... bambous.

ROI DE LA VOLTIGE

Mazu a listé tous les dinos des alentours. Un seul est un véritable as de la voltige. Pour découvrir de qui il s'agit, relie les points de même couleur avec des traits droits. La case qui n'est pas traversée par un trait te révélera le bon dinosaure.

FOSSILISÉS !

Un archéologue a fait une incroyable découverte !
Regarde bien les zones de fouilles et relie chaque squelette
au bon dinosaure. Attention, il y a un piège !

A

B

C

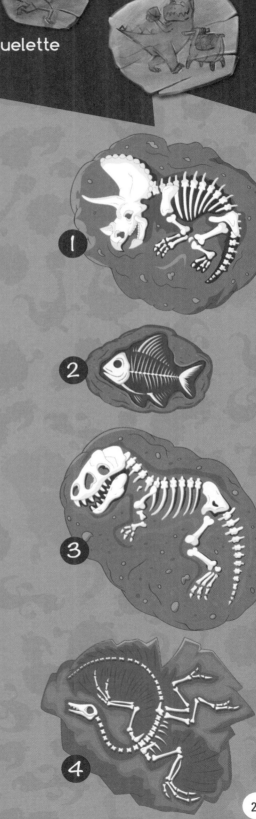

1

2

3

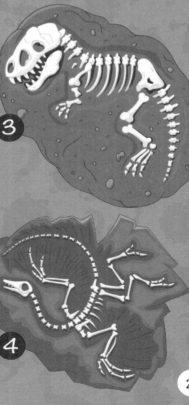

4

DEVINETTE

Que dit un dinosaure qui ne comprend rien à une discussion ?

Réponse :
il dit qu'il ne voit pas le
"raptor".

SUDOKU

Rocky est le roi des sudokus. Essaie de le battre en complétant cette grille !

100% INFO

Distraits et maladroits, dotés d'une mauvaise vue, les parasaurolophes doivent se méfier des prédateurs.

FINIS LE DESSIN

Rocky veut reproduire un œuf de parasaurolophe dans son cahier. Aide-le en suivant la grille.

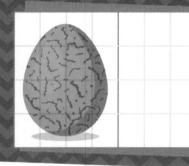

LES JEUX DE ROCKY

MINI-MOTS

Recompose les mots en associant les étiquettes.

VOL — ORIT

MÉTÉ — SAUR

DINO — CAN

LE PARASAUROLOPHE

POIDS : jusqu'à 4 t

TAILLE : 10 m de long et 6 m de haut

SIGNE DISTINCTIF : une tête d'une drôle de forme

DEVINETTE

Qu'est-ce qui est aussi gros qu'un dinosaure mais qui ne pèse rien ?

Réponse : l'ombre d'un
dinosaure !

RENDEZ-VOUS !

Mazu, Bill, Rocky et Tiny ont rendez-vous avec un diplocaulus. Remets les bandes dans le bon ordre pour découvrir où vit ce drôle de reptile.

MODÈLE

MENU DU JOUR !

Mazu a un doute. Elle ne se souvient plus de ce que mangent les dilophosaures. De l'herbe ou de la viande ? Suis les chemins et replace les lettres dans le bon ordre pour le découvrir.

I C R A V O R N E

C A R N I V O R E

MYSTÉRIEUX INVITÉ

Tiny a très envie de peindre le portrait d'un nouveau dinosaure.
Relie les points de 1 à 60 pour découvrir celui qu'elle a convié
à sa séance d'arts plastiques.

MOTS CROISÉS

Au Crétacé, chaque dinosaure a choisi un habitat
qui convient à son mode de vie. Complète la grille en t'aidant
des images pour découvrir les endroits préférés de Giganto.

OÙ EST GIGANTO ?

Tiny est terrorisée ! Avec Bill, ils ont voulu partir en exploration mais ils sont tombés nez à nez avec un horrible dinosaure. Aide-la à trouver le bon chemin pour rentrer à la maison.

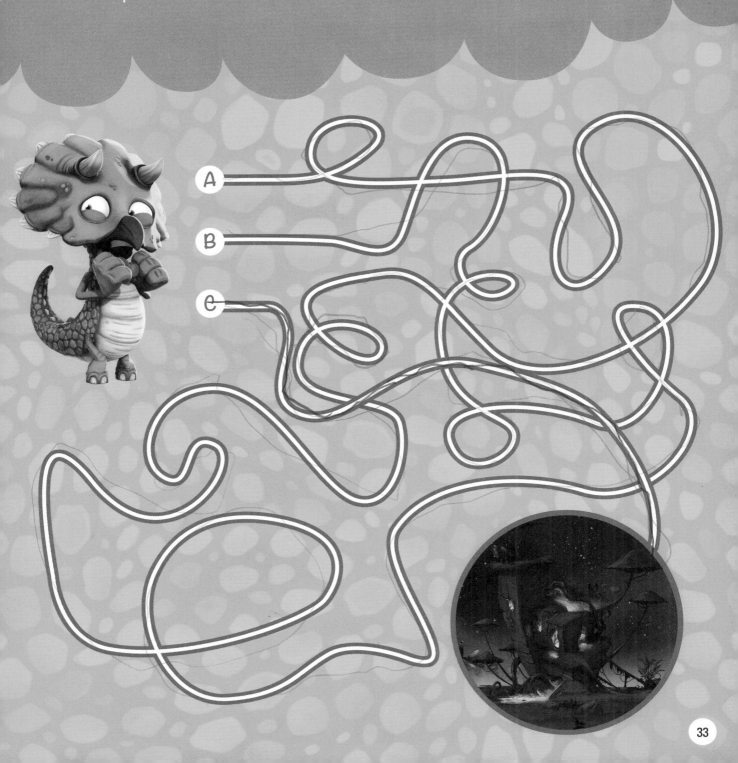

OBJET INTRUS

Bill aime quand tout est bien rangé : cela le rassure de savoir que les choses sont à la bonne place. Pour chaque groupe, regarde les images et barre l'intrus.

PORTRAIT DE GIGANTO

Tiny a réalisé un magnifique portrait de son dinosaure préféré.
Bien sûr, il s'agit de Giganto ! Repasse sur les traits pour terminer
son dessin, puis colorie-le.

QUIZ

CONNAIS-TU BIEN MAZU ?

Mazu est la plus curieuse des dinosaures. Mais la connais-tu vraiment aussi bien que tu le penses ? Réponds aux questions pour le découvrir.

À quelle espèce de dinosaures Mazu appartient-elle ?

1 - Les stégosaures

2 - Les ankylosaures

3 - Les iguanodons

Réponse : 2.

Quelle est l'activité préférée de Mazu ?

1 - Construire des choses

2 - Cuisiner pour ses amis

3 - Faire la sieste

Réponse : 1.

Quel âge a Mazu ?

1 - 5 ans et demi.

2 - 7 ans et demi.

3 - 9 ans et demi.

Réponse : 3.

Laquelle de ces inventions n'a pas été mise au point par Mazu ?

1 - La balançoire à lianes

2 - L'orgue en bambous

3 - La catapulte à œuf

Réponse : 3.

Tu as plus de 5 bonnes réponses :

Ma parole, tu es incollable sur Mazu. Même ses meilleurs amis ne la connaissent certainement pas aussi bien. Bravo !

Tu as entre 3 et 5 bonnes réponses :

Pas mal du tout ! Mazu a encore quelques secrets pour toi, mais c'est normal : tous les dinos aiment rester mystérieux !

Tu as moins de 3 bonnes réponses :

Tu as encore de nombreuses choses à apprendre sur cette petite ankylosaure. Ne t'inquiète pas, dans quelque temps ce sera réglé !

Les ankylosaures mesurent...

1 - Jusqu'à 3 m de long
2 - Jusqu'à 9 m de long
3 - Jusqu'à 15 m de long

Réponse : 2.

Mazu est parfois...

1 - Têtue
2 - Peureuse
3 - Timide

Réponse : 1.

Que mangent les ankylosaures ?

1 - De l'herbe
2 - Des œufs de dinosaure
3 - De la viande

Réponse : 1.

Vrai ou faux ?
Les ankylosaures ont une sorte de boule au bout de la queue.

Réponse : vrai.

Que collectionne Mazu ?

1 - Les pierres
2 - Les coquillages
3 - Les os

Réponse : 1.

MAUVAISE VUE

Mazu est en pleine observation grâce à sa nouvelle invention. Malheureusement, il semblerait que les réglages soient mauvais et que tout ce qu'elle voie soit déformé.
Relie chaque image à sa version déformée.

ATTENTION, DANGER !

Tiny, Bill, Rocky et Mazu veulent se rendre à leur grotte-repaire, mais de vilains dinos rôdent. Suis les flèches colonne après colonne pour conduire les quatre amis jusqu'à l'arrivée.

DÉPART

CHEMIN

↓	↑	↓	→	↓
↓	↑	↓	→	↓
↓	↑	↓	→	←
↓	↑	↓	→	←
↓	←	↓	→	←
↓	←	↓	↓	←
↓	←	→	↓	←
←	←	→	↓	←
←	←	→	↓	←
←	↓	→	↓	↓

ARRIVÉE

UNE QUESTION DE TAILLE

Au Crétacé, les dinosaures ont parfois des tailles très impressionnantes. Classe les dinosaures ci-dessous du plus grand au plus petit. Tu peux t'aider des tailles indiquées si besoin.

1 : B
2 : A
3 : D
4 : C
5 : E
6 : F

B
12 mètres

A
5 mètres

C
2 mètres

D
4 mètres

E
75 centimètres

F
25 centimètres

ŒIL DE LYNX

Bill, Tiny, Mazu et Rocky ne bougent plus d'un cil. S'ils sont assez discrets, Giganto ne remarquera pas leur présence. Observe les 2 images et retrouve les 6 différences qui se sont glissées entre elles.

LE BON SQUELETTE

Ayati est une brachiosaure vraiment remarquable. Du haut de son long cou, elle veille sur la vallée et ses amis. Observe bien les fossiles et retrouve le squelette qui lui correspond.

A

B

C

D

E

MODÈLE

LABYRINTHIQUE

Mazu a décidé d'aller se rafraîchir au bord du lac avec ses amis. Mais elle est en retard. Aide-la à vite trouver le bon chemin.

DÉPART

DEVINETTE

Que faire si on trouve un dinosaure endormi dans son lit ?

Réponse :
il faut chercher un autre endroit pour dormir.

SUDOKU

Complète ce sudoku. Attention, il est réservé aux plus grands herbivores !

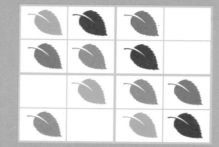

100% INFO

D'après les scientifiques, on compte environ 700 espèces de dinosaures. Mais il en reste sûrement encore beaucoup à découvrir...

FINIS LE DESSIN

Tiny veut reproduire un œuf de tricératops dans son cahier. Aide-la en suivant la grille.

LES JEUX DE TINY

MINI-MOTS

Observe bien les mots et place-les logiquement dans la grille.

ÉCAILLES

TROUPEAU

CORNES

LE TRICÉRATOPS

POIDS : jusqu'à 6 t

TAILLE : jusqu'à 9 m de long

SIGNE DISTINCTIF :
3 cornes surpuissantes

DEVINETTE

Qu'obtient-on quand un dinosaure marche dans des fraises ?

Réponse : de la confiture !

LE BON DÉTAIL

Mazu a longuement étudié les plantes carnivores.
Elle a noté toutes ses découvertes dans sa Gigantopédie.
Observe bien la grande image et entoure le seul détail
qui lui appartient. Mais fais attention à ne pas te faire
croquer par une plante au passage !

A

B

C

D

E

SACRÉ MÉLANGE !

Bill s'est pris les pattes dans le puzzle de Tiny. Son amie risque de ne pas être contente... Aide-le à réparer ses bêtises en replaçant les pièces aux bons endroits.

ROCKY MÈNE L'ENQUÊTE !

Quelqu'un a volé la dernière invention de Mazu. Pour Rocky, il faut tirer cette affaire au clair. Lis les indices et observe la scène pour trouver le coupable.

Indice n°1 : le coupable ne se tient pas sur un rocher.

Indice n°2 : le coupable se tient près de l'eau.

Indice n°3 : le coupable est très coloré.

Indice n°4 : le coupable n'a pas de grandes dents.

Indice n°5 : le coupable a des plumes.

Réponse : _____

LA BONNE TRACE !

Les dinosaures ont tous des empreintes différentes. Saurais-tu les reconnaître ? Observe bien les traces ci-dessous et relie chaque paire au bon dinosaure.

SUDOKU AQUATIQUE

Termi te met au défi : complète ces deux grilles en veillant à ce que les symboles n'apparaissent qu'une seule fois sur chaque ligne et dans chaque colonne. Si tu n'y arrives pas, elle ne fera qu'une bouchée de toi !

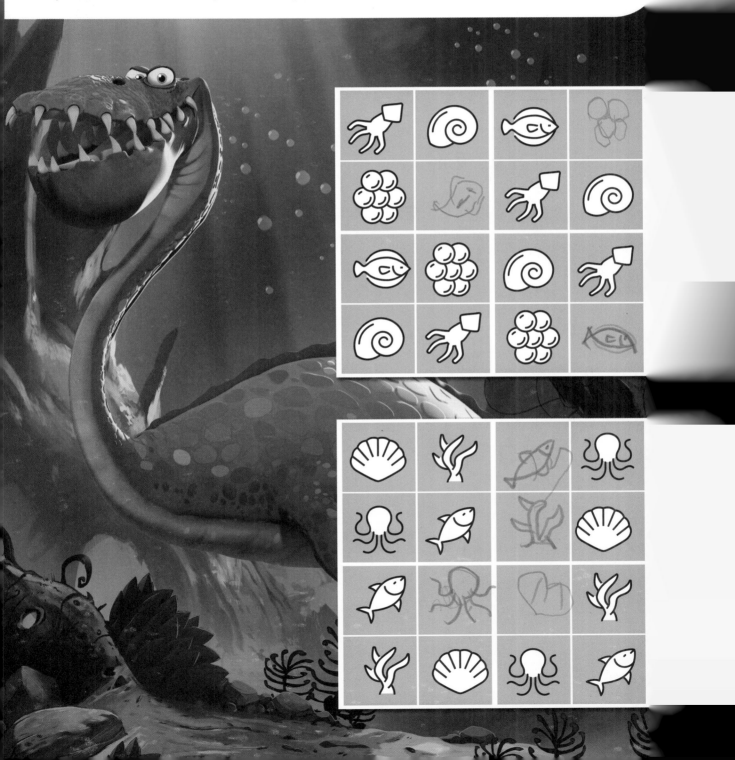

AU FEU !

Catastrophe ! La vallée est en feu ! Sans réfléchir, Rocky passe à l'action. Il est certain de pouvoir maîtriser l'incendie juste grâce à son incroyable souffle. Aide-le en coloriant logiquement les flammes.

GRAINE D'ARTISTE

Tiny a réalisé d'incroyables portraits de Gigantosaurus.
Pourtant, l'un d'entre eux ne lui plaît pas. Regarde bien
ses peintures et barre la seule qui est différente
des autres.

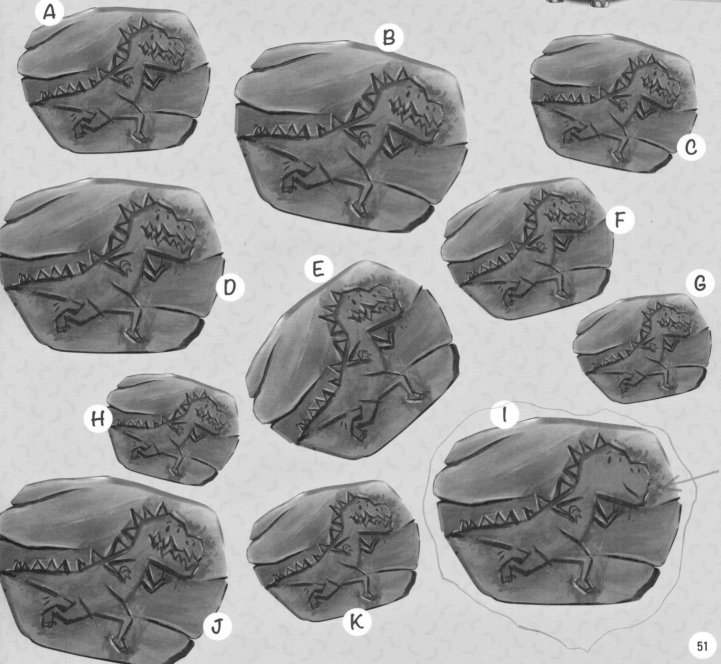

QUIZ

CONNAIS-TU BIEN ROCKY ?

Rocky est le plus intrépide des petits dinosaures. Mais le connais-tu vraiment aussi bien que tu le penses ? Réponds aux questions pour le découvrir.

À quelle espèce de dinosaures Rocky appartient-il?

1 - Les parasaurolophes

2 - Les pachycéphalosaures

3 - Les ptérosaures

Réponse : 1.

Quelle est l'activité préférée de Rocky ?

1 - Faire du sport

2 - Cueillir des baies

3 - Pêcher des poissons

Réponse : 1.

Que rêve de devenir Rocky ?

1 - Un Giganto

2 - Un super héros

3 - Un inventeur

Réponse : 2.

De quoi Rocky a-t-il peur ?

1 - De l'eau, il ne sait pas nager

2 - Du vide, il a le vertige

3 - De rien, c'est Rocky !

Réponse : 1.

RÉSULTATS

Tu as plus de 5 bonnes réponses :

Ma parole, tu es incollable sur Rocky. Même ses meilleurs amis ne le connaissent certainement pas aussi bien. Bravo !

Tu as entre 3 et 5 bonnes réponses :

Pas mal du tout ! Rocky a encore quelques secrets pour toi, mais c'est normal : tous les dinos aiment rester mystérieux !

Tu as moins de 3 bonnes réponses :

Tu as encore de nombreuses choses à apprendre sur ce petit parasaurolophe. Ne t'inquiète pas, dans quelque temps, ce sera réglé !

Les parasaurolophes ont...

1 - Une mauvaise ouïe
2 - Un mauvais odorat
3 - Une mauvaise vue

Réponse : 3.

Rocky a tendance...

1 - À se moquer des autres
2 - À s'attirer des ennuis
3 - À trembler pour un rien

Réponse : 2.

Que mangent les parasaurolophes ?

1 - De l'herbe
2 - Des œufs de dinosaure
3 - De la viande

Réponse : 1.

Vrai ou faux ?
Les parasaurolophes vivent parmi les stégosaures.

Réponse : faux.

Quel est le plus gros défaut de Rocky ?

1 - L'obstination
2 - La jalousie
3 - L'impatience

Réponse : 3.

BIEN CACHÉS !

Cror adore jouer des tours. Cette fois, elle a caché de nombreux mots dans cette grille. Observe bien et retrouve-les le plus vite posible.

TROUPEAU

HERBIVORE

FORÊT

FEUILLE

ŒUF

ÉCAILLES

CARNIVORE

PLANÈTE

Retrouve aussi les noms de tes héros préférés dans la grille :

ROCKY

BILL

MAZU

TINY

C	A	R	N	I	V	O	R	E	E
P	L	A	N	E	T	E	T	R	R
H	T	E	R	U	S	U	P	T	T
E	R	F	G	H	J	F	L	Y	Y
R	O	K	R	O	C	K	Y	J	J
B	U	L	W	F	O	R	E	T	T
I	P	A	Z	E	E	R	T	I	I
V	E	Y	U	U	I	O	M	N	N
O	A	O	P	I	Q	S	A	Y	Y
R	U	D	F	L	G	H	Z	K	K
E	J	B	I	L	L	K	U	L	L
D	M	W	C	E	V	B	N	J	J
E	C	A	I	L	L	E	S	H	H

COLLECTIONNEUSE

Mazu est contrariée. Il semble qu'une pierre de sa précieuse collection ait été égarée. Compte les pierres que tu vois sur la page pour la rassurer.

Réponse :

....

ON NE BOUGE PLUS !

Bill ne veut plus avancer d'un pouce. Il est tellement effrayé qu'il n'arrive plus à parler. Aide-toi du code pour comprendre ce qu'il essaie d'expliquer.

IL FAIT

TRES

SOMBRE

ICI

CODE

A	B	C	E	F	I	L	M	O	R	S	T	T

Sais-tu écrire le mot dinosaure ? Tiny, Bill, Rocky et Mazu proposent de t'apprendre à le faire. Entraîne-toi en repassant sur les lettres et en suivant les pointillés pour, à la fin, essayer d'écrire le mot tout seul !

DINOSAURE

DINOSAURE

DINOSAURE

AURAIS-TU PU VIVRE AU TEMPS DES DINOS ?

Si tu avais vécu au Crétacé, aurais-tu su t'adapter ou aurais-tu servi de casse-croûte à un Giganto ? Pour le découvrir, réponds à ce test.

Au zoo, devant la cage des lions :

 Tu passes la main entre les barreaux.
Tu prends des photos.
Tu ne restes pas longtemps.
Tu appelles l'animal pour qu'il s'approche davantage.

Tu es attaqué par une bête :

Tu es pétrifié.
Tu pars en courant.
Tu te prépares à l'affronter.
Tu grimpes dans un arbre.

Ta meilleure cachette...

Est une cachette où il y a à manger.
Restera secrète. Non mais !
Est perchée dans un arbre.
Se trouve derrière un buisson.

Qu'as-tu toujours dans ton sac ?

De la crème solaire.
Des gâteaux.
Des pansements.
Une carte.

RÉSULTATS

Tu as plus de 🦴 :

Tu aimes les dinosaures, mais dans les livres... Pas de doute, si tu avais vécu au Crétacé, tu aurais été le meilleur ami de Bill. Rassure-toi, être prudent, c'est souvent une grande qualité !

Tu as plus de 🦴 :

Les dinosaures n'ont pas de secrets pour toi, mais tu préfères les observer de loin. Si tu avais vécu au Crétacé, Mazu aurait été une bonne amie. Ensemble, vous n'auriez eu qu'une seule devise : réfléchir avant d'agir !

Tu as plus de 🦴 :

Vivre au Crétacé, tu en rêves ! Tu t'imagines déjà apprivoiser un diplodocus ou un tricératops. Tu t'entendrais à merveille avec Tiny. Mais n'oublie pas qu'il faut parfois se méfier ! Tous les dinos ne sont pas aussi inoffensifs que tu le crois.

Tu as plus de 🦴 :

Vivre au Crétacé, cela ne te ferait pas peur du tout. Tu es sûr que tu serais capable d'échapper aux plus dangereux prédateurs. Veille cependant à ne pas toujours foncer tête baissée comme Rocky : c'est souvent ainsi qu'on s'attire des ennuis...

Le sport...

- 🦴 Tu adores.
- 🦴 Tu te débrouilles.
- 🦴 Tu en fais seulement à l'école.
- 🦴 Quelle corvée !

Aimes-tu les animaux ?

- 🦴 Pas trop : tu as peur du moindre lézard.
- 🦴 Sans plus : un poisson rouge, c'est suffisant.
- 🦴 Tu les aimes bien, mais surtout chez les autres.
- 🦴 Tu les adores : si tu le pouvais, tu aurais trois chiens, deux chats et même un poulailler !

Voir un dinosaure pour de vrai :

- 🦴 Ce serait formidable !
- 🦴 Ce serait effrayant !
- 🦴 Ce serait impossible !
- 🦴 Ce serait dangereux !

NATURE MORTE

Tiny est concentrée. Elle met la touche finale à son tableau. Mais quel paysage dessine-t-elle ? Pour le découvrir, entoure la seule image qui n'apparaît pas deux fois sur la page.

CHERCHE ET TROUVE

Bill aime savoir où il pose les pattes. Cela le rassure beaucoup !
Aide-le en comptant les tricératops, les fleurs bleues, les palmiers
rouges et les ptérosaures qui se trouvent sur cette page.

Il y a .... tricératops.
Il y a .... fleurs bleues.
Il y a .... palmiers rouges.
Il y a .... ptérosaures.

DEVINETTE

Comment font deux dinosaures pour décider lequel des deux lance le dé en premier ?

Réponse :
ils font un tirajosaure.

SUDOKU

Complète ce sudoku. Mais attention, il est réservé aux herbivores.

On peut déterminer l'âge des dinosaures grâce aux os que l'on trouve. On sait qu'ils vivaient entre 10 et 50 ans. Ce n'est finalement pas tant que cela.

FINIS LE DESSIN

Mazu veut reproduire un œuf d'ankylosaure dans son cahier. Aide-la en suivant la grille.

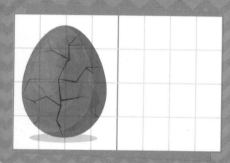

LES JEUX DE MAZU

MINI-MOTS

Reconstitue les mots en assemblant les étiquettes.

AR — UE

MAS — MUR

QUE — SUB

L'ANKYLOSAURE

POIDS : jusqu'à 4 t

TAILLE : 9 m de long et 2 m de haut

SIGNE DISTINCTIF : une queue en forme de massue

DEVINETTE

Qu'est-ce qui fait plus de bruit qu'un Giganto ?

Réponse : deux Gigantos !

DRÔLE DE COLLERETTE

Dilo est très fier de sa collerette. En effet, il peut l'ouvrir ou la fermer au gré de ses envies. Observe le modèle, puis complète l'image de droite en suivant les pointillés et en coloriant.

OÙ EST GIGANTO ?

Tiny, Bill, Rocky et Mazu sont sur les traces de Giganto. Ils ont fouillé les quatre coins de la vallée. Relie les points de la même couleur par un trait droit. Giganto se cache dans la seule case qui ne sera pas traversée par un trait.

DRÔLE DE RAPTOR

Totor n'est peut-être pas le plus malin des raptors, mais il dépasse en taille Bill, Tiny, Rocky et Mazu d'au moins une tête. Et ça, il en est très fier. Observe bien les 2 images et retrouve les 6 différences qui se sont glissées entre elles.

OBJET TROUVÉ

Mazu a égaré sa précieuse Gigantopédie. Si elle ne la retrouve pas rapidement, son livre pourrait tomber entre de mauvaises mains. Aide les quatre amis à rejoindre l'objet en traversant ce labyrinthe.

DÉPART

Hégàn est la plus rapide de tous les ptérosaures. Elle fend les nuages si vite que même son ombre a du mal à la suivre. Regarde bien le modèle et relie-le à l'ombre qui lui correspond.

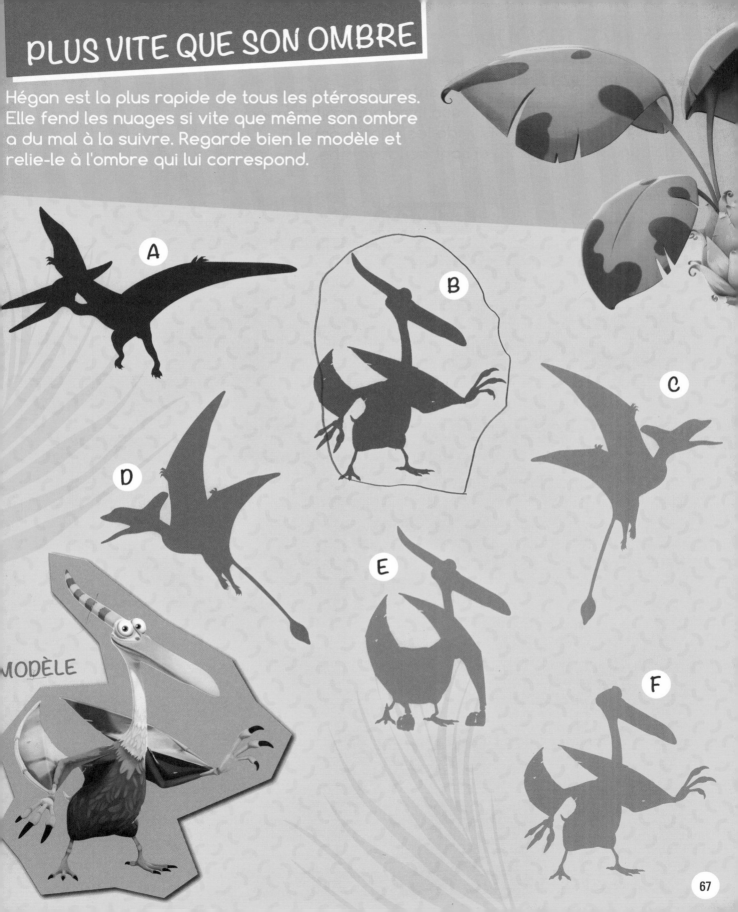

A

B

C

D

E

F

MODÈLE

TOUT EST DANS LE DÉTAIL

Tiny, Rocky, Bill et Mazu sont en promenade.
Ils ont suivi une dinabeille jusqu'aux grandes cascades.
Regarde bien l'image et retrouve le seul détail
qui lui appartient.

A

B

C

D

E

CARNIVORE OU HERBIVORE ?

Mazu est catégorique : certains dinosaures mangent uniquement des végétaux quand d'autres ne mangent que de la viande. Classe ces dinosaures selon leur régime alimentaire.

Le diplocaulus

Le compsognathus

Le dilophosaure

Le stégosaure

Le vélociraptor

CARNIVORES

HERBIVORES

e brachiosaure

QUIZ

CONNAIS-TU BIEN GIGANTO ?

Giganto est certainement le plus incroyable des dinosaures du Crétacé. Réponds aux questions pour encore mieux le connaître.

À quelle espèce de dinosaures Giganto appartient-il ?

1 - Les tyrannosaures
2 - Les allosaures
3 - Les spinosaures

Réponse : 1.

Quelle est la longueur des tyrannosaures ?

1 - Jusqu'à 6 m de long
2 - Jusqu'à 12 m de long
3 - Jusqu'à 18 m de long

Réponse : 2.

Quelle est l'activité préférée de Giganto ?

1 - Se promener
2 - Chasser
3 - Faire la sieste

Réponse : 2.

Vrai ou faux ?
Le tyrannosaure a des plumes.

Réponse : faux.

Comment Giganto fait-il pour se gratter le dos ?

1 - Il se roule dans le sable
2 - Il demande à un tricératops
3 - Il se frotte à un rocher

Réponse : 1.

RÉSULTATS

Tu as plus de 5 bonnes réponses :

Ma parole, tu es incollable sur Giganto. Même Mazu ne le connaît certainement pas aussi bien. Bravo !

Tu as entre 3 et 5 bonnes réponses :

Pas mal du tout ! Giganto a encore quelques secrets pour toi, mais c'est normal : tous les dinos aiment rester mystérieux !

Tu as moins de 3 bonnes réponses :

Tu as encore de nombreuses choses à apprendre sur cet incroyable dinosaure. Ne t'inquiète pas, dans quelque temps ce sera réglé !

Les tyrannosaures ont...

1 - 36 dents acérées

2 - 44 dents acérées

3 - 58 dents acérées

Réponse : 3.

Où habite Giganto ?

1 - Près de la grande cascade

2 - Au pied du volcan

3 - Personne ne le sait

Réponse : 3.

Comment Giganto s'exprime-t-il ?

1 - Avec une toute petite voix

2 - Avec d'effrayants rugissements

3 - Il est muet

Réponse : 2.

VOLER COMME ARCHIE

Archie rêve de voler haut dans le ciel. Malheureusement, il est plus doué pour grimper que pour planer. Reconstitue l'image pour découvrir ce que le dinosaure aimerait tant survoler.

A · B · C · D · E · F · G

A   D   C   O   ....

TROP DE CARNI !

Rocky est sur ses gardes : Carni semble s'être multipliée. Trouve le nombre de plantes carnivores présentes sur la page pour l'aider à y voir plus clair.

Réponse :

....

PHOTO DE CLASSE

Rocky, Tiny, Bill et Mazu t'ont réservé leurs plus beaux sourires pour cette photo. Suis les pointillés pour dessiner tes héros et choisis tes plus belles couleurs pour les colorier.

BIEN CACHÉS

Bill est très fort pour se cacher. Il a donc dissimulé dans cette grille 8 choses qui lui font peur. Sauras-tu les retrouver ?

GIGANTO

RAPTOR

TERMI

NOIR

DINABEILLE

CARNI

GRIFFE

EXPLOSION

G	N	V	W	D	D	U	T	D	R
I	T	N	X	H	G	T	R	I	A
G	P	U	K	T	T	N	I	N	P
I	Q	Ç	Q	E	Ç	D	B	A	T
G	X	Y	M	R	U	E	Ç	B	O
A	D	A	A	M	H	X	C	E	R
N	B	O	K	I	I	P	D	I	P
T	R	P	C	D	O	L	X	L	U
O	G	K	V	I	X	O	O	L	G
S	N	Ç	J	P	M	S	K	E	S
K	T	O	D	G	R	I	F	F	E
C	N	O	I	R	L	O	Ç	D	M
Q	E	S	C	A	R	N	I	F	H

75

TROUBLE DE LA VUE

Comme tous les parasaurolophes, Rocky n'a pas une excellente vue. Impossible pour lui de reconnaître les différents véhicules inventés par Mazu. Aide-le en reliant chaque véhicule à son image floutée.

PETIT ÉGARÉ !

Catastrophe ! Ce petit parasaurolophe a perdu la trace de son troupeau. Aide-le à le rejoindre avant qu'il ne fasse une mauvaise rencontre.

ARRIVÉE

ROI DU CRÉTACÉ !

Giganto est le dino le plus fascinant de tout le Crétacé !
Tiny, Mazu, Bill et Rocky ne te diront pas
le contraire. Mais connais-tu le nom
de son espèce ? Replace chaque lettre
au bon endroit pour le découvrir.

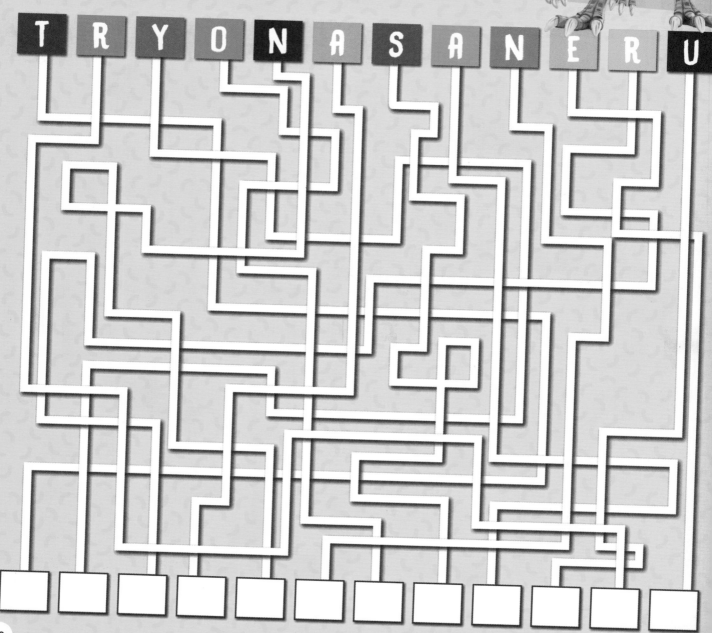

POIDS LOURDS

Mazu a besoin de ton aide. Elle a perdu des données capitales sur les dinosaures qui l'entourent. Regarde bien ceux qui se trouvent ci-dessous et classe-les du plus lourd au plus léger.

1 : ....

2 : ....

3 : ....

4 : ....

5 : ....

6 : ....

C
3 tonnes

A
20 kg

B
7 kg

F
1 kg

D
7 tonnes

E
300 kg

DEVINETTE

Comment appelle-t-on les dinosaures qui passent leur vie sur les chantiers ?

Réponse : les bulldozaures.

SUDOKU

Complète ce sudoku. Mais attention, il est réservé aux herbivores.

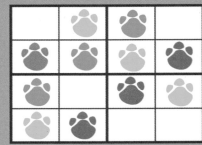

Si un brachiosaure vivait aujourd'hui, il pourrait manger les plantes installées sur un balcon au 3e étage d'un immeuble ! Pratique, non ?

FINIS LE DESSIN

Bill veut reproduire un œuf de brachiosaure dans son cahier. Aide-le en suivant la grille.

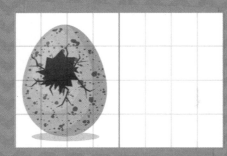

LES JEUX DE BILL

MINI-MOTS

Relie chaque mot à la bonne image.

PIERRE

FRUIT

FLEUR

LE BRACHIOSAURE

POIDS : jusqu'à 50 t

TAILLE : 26 m de long et 12 m de haut

SIGNE DISTINCTIF : un immense cou

DEVINETTE

Comment appelle-t-on un dinosaure qui fait la sieste ?

Réponse : un ronflosaure !

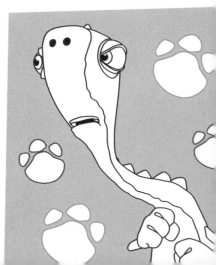

BIEN CACHÉS !

Catastrophe ! Giganto a surpris Rocky et ses amis dans les grottes. Tout le monde doit vite se cacher. Colorie en vert les personnages qui sont devant les rochers et en bleu ceux qui sont derrière.

UN SACRÉ MALADROIT

Bill, Mazu, Tiny et Rocky ont décidé de partir en exploration nocturne. Malheureusement, ils sont tombés nez à nez avec Giganto. S'ils ne fuient pas, ils vont passer une mauvaise nuit. Lis les indices pour découvrir qui s'est trompé de route.

Indice n°1 : je n'ai pas peur du noir.

Indice n°2 : je suis à bonne distance de Giganto.

Indice n°3 : je ne suis pas au sol.

Indice n°4 : j'ai rangé ma carte dans ma besace.

Réponse : _D_____

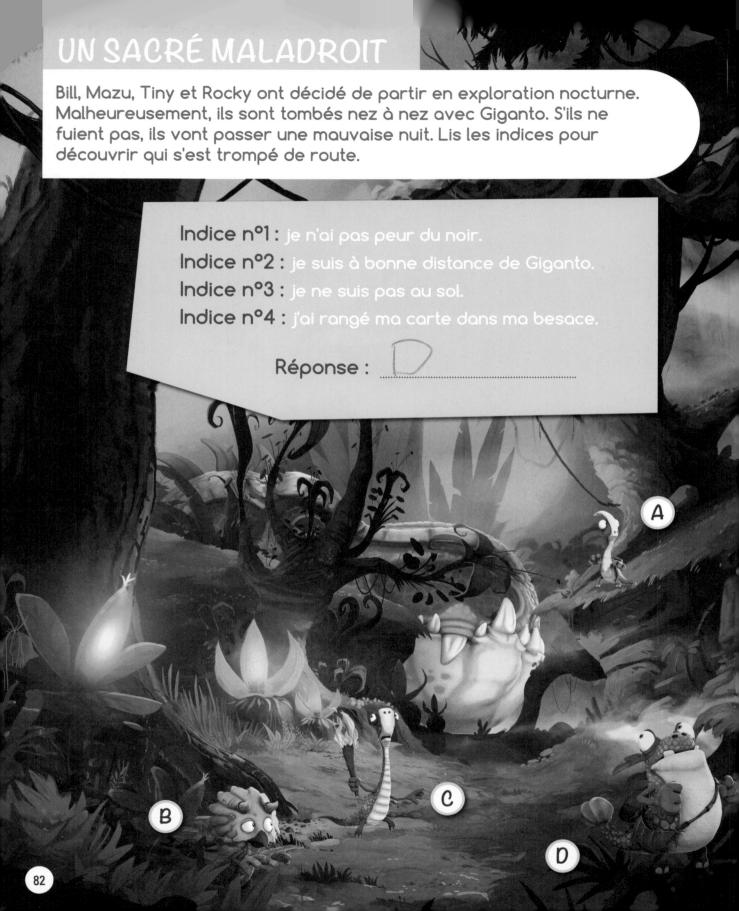

A

B

C

D

ATTENTION, DANGER !

Quand on se promène non loin de Carni, il vaut mieux rester sur ses gardes. Cette plante carnivore a toujours un petit creux. Regarde bien les 2 images et retrouve les 6 différences qui se sont glissées entre elles.

SAUVER SA PEAU !

Lorsqu'on vit au Crétacé, il est important d'être malin si on veut réussir à échapper aux prédateurs et sauver sa peau. Observe bien les personnages et relie chacun au détail qui lui appartient.

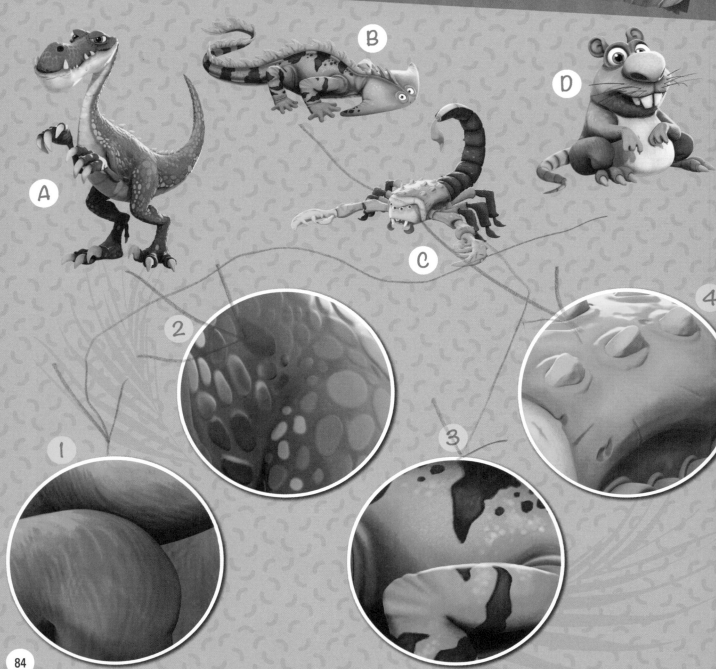

DANS LES AIRS

Mazu a inventé un moyen de transport très sûr pour son ami Bill : la Bill Bulle ! Regarde bien l'image et retrouve le seul véhicule qui est différent des autres.

PASSION FLORALE

Tiny adore les fleurs. Elle en cueille de toutes sortes pour réaliser de magnifiques herbiers. Regarde ces sudokus et complète-les. Mais attention, chaque fleur ne doit apparaître qu'une seule fois par ligne et par colonne.

Sais-tu écrire le mot Crétacé ? Mazu est certaine de pouvoir le faire les yeux fermés ! Entraîne-toi en repassant sur les lettres et en suivant les pointillés pour, à la fin, essayer d'écrire le mot tout seul !

CRÉTACÉ

CRÉTACÉ

MEILLEURS AMIS

Tiny, Mazu, Bill et Rocky sont convaincus d'être les meilleurs amis de Giganto. Après tout, il leur est souvent venu en aide, non ? Replace les pièces aux bons endroits pour compléter cette photo des meilleurs amis du Crétacé.

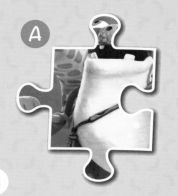

TROP DISTRAIT

Marshall a beau être superfort, il n'en est pas moins beaucoup trop distrait. Ce matin, c'est son ombre qu'il a perdue. Aide-le en entourant celle qui correspond au modèle.

A

B

C

D

E

MODÈLE

F

SOLUTIONS

Page 2 :
Réponse B.

Page 3 :
Réponse C.

Page 6 :

Page 7 :
A-3 ; B-4 ; C-1 ; D-2.

Page 8 :
Réponse E.

Page 9 :
Réponse C.

Page 10 :

Page 11 :

Page 12 :

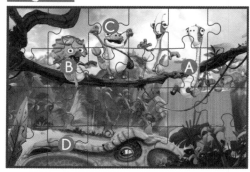

		P		
		R		
		E		
	C	H		
	A	I		
	R	S		
	N	T		
D	E	O	I	R	E
	V	I		
	O	R		
	R	E		
	E			

Page 13 :
Réponse H.

Page 16 :

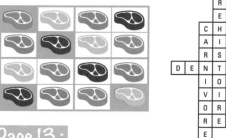

Page 17 :

Page 18 :

Je suis un super dino !

Page 19 :

Il y a 21 Gigantosaurus.

Page 23 :

Page 24 :

Page 25 :

Il y a 8 dinosaures.
Il y a 4 os.
Il y a 3 scorpions.
Il y a 7 bambous.

Page 26 :

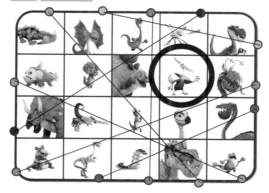

Le ptérosaure est un vrai voltigeur. À pleine vitesse, il peut se déplacer jusqu'à 60 km/h. Il adore survoler son territoire et descendre en piqué pour attraper des poissons.

Page 27 :

A-3 ; B-4 ; C-1.

L'intrus est le fossile numéro 2, il s'agit d'un squelette de poisson.

Page 28 :

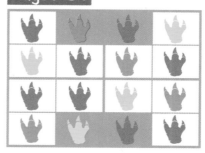

Volcan - Météorite - Dinosaure.

Page 29 :

D, B, F, A, C, E, G.

Page 30 :

Carnivore.

Page 31 :

Page 32 :

Page 33 :

Le bon chemin est le C.

Page 34 :

Page 38 :

A-4 ; B-1 ; C-2 ; D-3.

Page 39 :

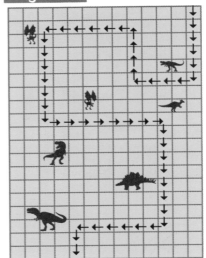

Page 40 :

1-B ; 2-A ; 3-D ; 4-C ; 5-E ; 6-F.

Page 41 :

Page 42 :

Réponse A.

Page 43 :

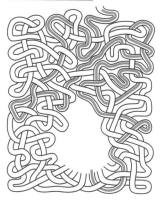

Page 44 :

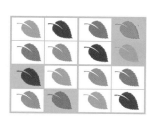

Page 45 :

Réponse B.

Page 46 :

Page 47 :

Réponse C.

Page 48 :

A-4 ; B-2 ; C-1 ; D-3.

Page 49 :

Page 50 :

Page 51 :

Réponse 1.

Page 54 :

C	A	R	N	I	V	O	R	E
P	L	A	N	E	T	E	T	R
H	T	E	R	U	S	U	P	T
E	R	F	G	H	J	F	L	Y
R	O	K	R	O	C	K	Y	J
B	U	L	W	F	O	R	E	T
I	P	A	Z	E	E	R	T	I
V	E	Y	U	U	I	O	M	N
O	A	O	P	I	Q	S	A	Y
R	U	D	F	L	G	H	Z	K
E	J	B	I	L	L	K	U	L
D	M	W	C	E	V	B	N	J
E	C	A	I	L	L	E	S	H

Page 55 :

Il y a 19 pierres.

Page 56 :

Il fait très sombre ici.

Page 60 :

Page 61 :

Il y a 7 tricératops.
Il y a 14 fleurs bleues.
Il y a 8 palmiers rouges.
Il y a 4 ptérosaures.

Page 62 :

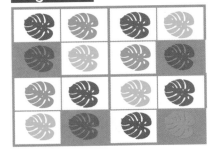

Armure - Massue - Queue.

Page 64 :

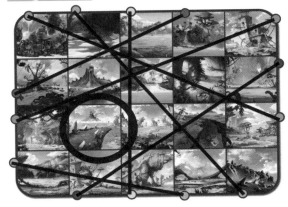

Page 65 :

Page 66 :

Page 67 :

Réponse B.

Page 68 :

Réponse C.

Page 69 :

Les carnivores sont : le vélociraptor,
le compsognathus, le dilophosaure et le diplocaulus.

Les herbivores sont : le brachiosaure
et le stégosaure.

Page 72 :

A, D, C, F, B, G, E.

Page 73 :

Il y a 18 plantes carnivores.

Page 75 :

G	N	V	W	D	D	U	T	D	R
I	T	N	X	H	G	T	R	I	A
G	P	U	K	T	T	N	I	N	P
I	Q	Ç	Q	E	Ç	D	B	A	T
G	X	Y	M	R	U	E	Ç	B	O
A	D	A	A	M	H	X	C	E	R
N	B	O	K	1	I	P	D	I	P
T	R	P	C	D	O	L	X	L	U
O	G	K	V	I	X	O	O	L	G
S	N	Ç	J	P	M	S	K	E	S
K	T	O	D	G	R	I	F	F	E
C	N	O	I	R	L	O	Ç	D	M
Q	E	S	C	A	R	N	I	F	H

Page 76 :

A-3 ; B-4 ; C-2 ; D-1.

Page 77 :

Réponse C.

Page 78 :

Tyrannosaure.

Page 79 :

1-D ; 2-C ; 3-E ; 4-A ; 5-B ; 6-F.

Page 80 :

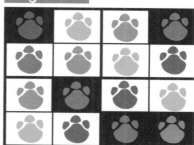

PIERRE **FLEUR** **FRUIT**

Page 82 :
Réponse D.

Page 83 :

Page 88 :

Page 89 :
Réponse D.

Page 84 :
A-2 ; B-3 ; C-4 ; D-1.

Page 85 :
Réponse D.

Page 86 :

PAPIER À BASE DE FIBRES CERTIFIÉES

LAROUSSE s'engage pour l'environnement en réduisant l'empreinte carbone de ses livres. Celle de cet exemplaire est de : 750 g éq. CO_2 Rendez-vous sur www.larousse-durable.fr

Cyber Group Studios

LAROUSSE
JEUNESSE
21, rue du Montparnasse,
75283 Paris Cedex 06

D'après le livre de Jonny Duddle
© Cyber Group Studios
© Larousse 2021, 21 rue du Montparnasse,
75283 Paris Cedex 06
Direction de la publication : Sophie Chanourdie
Packaging : Amstramgram
ISBN : 978-2-03-599309-0
Dépôt légal : juin 2021
328032-01 / 11046512 - avril 2021
Conforme à la loi n°49-956 du 16 juillet 1949
sur les publications destinées à la jeunesse.